Comment vivre avec ses enfants

Distribution au Canada:
Québec-Livres, 2185, autoroute des Laurentides, Laval (Québec) H7S 1Z6
Téléphone: (450) 687-1210 • Télécopieur: (450) 687-1331

Distribution en France:
Casteilla/Chiron, 10, rue Léon-Foucault, 78184 Saint-Quentin-en-Yvelynes
Téléphone: (33) 1 30.14.19.30 • Télécopieur: (33) 1 34.60.31.32

Distribution en Belgique:
Diffusion Vander, avenue des Volontaires, 321, B-1150 Bruxelles
Téléphone: (32-2) 761-1216 • Télécopieur: (32-2) 761-1213

Distribution en Suisse:
Diffusion Transat s.a., route des Jeunes, 4 ter, C.P. 1210, 1211 Genève 26
Téléphone: (022) 342-7740 • Télécopieur: (022) 343-4646

Jérôme

Comment vivre avec ses enfants

Les Éditions
LOGIQUES

LOGIQUES est une maison d'édition agréée et reconnue par les organismes d'État responsables de la culture et des communications.

Nous reconnaissons l'aide financière du gouvernement du Canada par l'entremise du Programme d'Aide au Développement de l'Industrie de l'Édition (PADIÉ) pour nos activités d'édition.

Gouvernement du Québec. Programme de crédit d'impôt pour l'édition de livres. Gestion SODEC.

Révision linguistique: Roseline Desforges, Cassandre Fournier
Mise en pages: Claude Bergeron
Graphisme de la couverture: Christian Campana

Les Éditions LOGIQUES
7, chemin Bates, Outremont (Québec) H2V 1A6
Téléphone: (514) 270-0208 • Télécopieur: (514) 270-3515
Site Web: http://www.logique.com

Comment vivre avec ses enfants

Dépôt légal: Premier trimestre 2001
Bibliothèque nationale du Québec
Bibliothèque nationale du Canada

ISBN-2-89381-783-1
LX-893

À tous mes enfants,
de cœur et de sang
et aux milliers de parents
avec qui j'ai appris
le plus beau métier du monde

*Merci
à mon collaborateur Félix,
éveilleur d'enfants.*

Ne vis pas pour ton enfant.
Vis avec ton enfant.

Quand c'est le cas, dis à ton enfant:
«je ne sais pas!»

Abandonner

Ne menace jamais ton enfant
de l'abandonner, de le laisser là,
de le laisser tomber.
Il compte sur toi.

Accepter

Accepte ton enfant comme il est.
Accepte-toi comme tu es.

Accepte que ton enfant t'apprenne
des choses dans les domaines
où il en sait plus que toi.

Accepte ce que ton enfant ressent.
Accepte ce que ton enfant pense.
N'accepte pas tout ce que ton enfant fait.

N'accepte pas (en silence) que ton enfant
te fasse mal ou te nuise.
Tu l'encouragerais ainsi à abuser
d'une autre personne.

Si tu n'acceptes pas que ton enfant
agisse de telle manière, détermine:
«Est-ce qu'il me nuit ou se nuit à lui-même?»
Et agis en conséquence.

Accepte que certaines choses
te dépassent pour le moment.

Accuser

Si ton enfant te répond
sur un ton défensif,
réduis ton ton accusateur.

Affection

Communique ton affection
à ton enfant: regarde-le,
écoute-le, accompagne-le,
parle-lui, touche-le!

Ne marchande pas ton affection.
Donne-la gratuitement à tes enfants.

Affirmer, s'

Donne à ton enfant l'occasion
de s'affirmer face à toi comme tu souhaites
qu'il s'affirme face aux autres.

Sois devant ton enfant une personne complète
avec tes désirs, tes préférences, tes goûts,
tes aspirations, tes valeurs et le besoin
de t'affirmer et de te réaliser.

Âge

Rappelle-toi quand tu avais
l'âge de ton enfant.

Peu importe son âge, ton enfant
a déjà sa réalité, ses sentiments, ses opinions,
ses préférences, ses aspirations.

Ne pense pas que l'amour d'un adulte
est grand et que celui de ton enfant est petit.
Quand ton enfant aime, il aime de tout son cœur.

Ton enfant n'a pas un petit chagrin
parce qu'il est petit. Même s'il pèse 20 kilos,
il a alors 20 kilos de peine.

Agressivité

Donne à ton enfant l'occasion
de se sentir puissant en développant
ses capacités... sinon il risque de recourir
à des gestes destructifs pour
se prouver qu'il est fort.

Cherche à canaliser les énergies
de ton enfant plutôt que de les bloquer.

Fournis aux enfants des façons
constructives d'exprimer leur agressivité:
des combats d'oreillers,
des pavillons à baisser,
des joutes de chevaliers...

Aimer

N'aime pas tes enfants
parce qu'ils te ressemblent,
mais parce qu'ils ressemblent
de plus en plus à ce qu'ils peuvent devenir.

C'est quand tu ne comprends pas
ton enfant que tu peux commencer
à l'aimer comme il est.

Ton petit enfant comprend que tu l'aimes
si tu lui apportes un cadeau,
si tu joues avec lui, si tu gardes ses secrets.

Tu ne peux pas aimer
ton enfant si tu l'adores.

Ne dis pas à ton enfant
que tu l'aimes quand tu es en colère.
Dis à ton enfant que tu l'aimes
quand tu te sens bien avec lui,
quand le problème est réglé.

Oublie: «J'aimerais que tu deviennes...»
Demande-lui: «Qu'aimerais-tu devenir?»
Oublie: «J'aimerais que tu sortes avec...»
Demande-lui: «Avec qui aimerais-tu sortir?»

Si ton enfant n'aime pas ce que tu as cuisiné,
ne le prends pas comme un rejet personnel.

Quand ton enfant est maussade,
quand il se supporte difficilement lui-même,
ne le prends pas comme une attaque personnelle.

Si ton enfant aime ça, il aime ça,
s'il n'aime pas ça, il n'aime pas ça!
Si tu aimes ça, tu aimes ça, si tu n'aimes pas ça,
tu n'aimes pas ça!

Il y a des jours où tu as le goût
et d'autres jours où tu n'as pas
le goût de jouer avec ton enfant.
Et ça ne veut pas dire que
tu ne l'aimes pas pour autant.

Amis

Ne fais pas un frère ou une sœur
à ton enfant pour qu'il ait
quelqu'un avec qui jouer.
Montre-lui comment se faire des amis!

D'abord, apprends-lui à collaborer,
puis fais en sorte que ses amis se sentent
bienvenus à la maison.

Traite les amis de tes enfants
comme des membres de la famille.
Quand ils sont chez toi, tu es leur parent,
tout simplement.

L'ami que ton enfant choisit,
c'est pour elle-même. Plus c'est clair
qu'elle le choisit dans son intérêt personnel,
plus elle choisira judicieusement ses amis.

Amour

L'amour maternel trouve beau
tout ce que l'enfant fait. L'amour paternel
encourage l'enfant quand il réussit
quelque chose. Chaque parent a une dose
différente d'amour paternel et maternel.

La mère a une relation particulière.
Le père a une relation particulière. C'est ainsi.

Ne lui retire pas ton amour si ton enfant
ne fait pas ce que tu veux.

Ne te sacrifie pas pour ton enfant,
tu en éprouverais du ressentiment.
L'amour ne pousse pas bien dans le ressentiment.

C'est de toi que ton enfant apprend
comment être un homme ou une femme
et comment traiter un homme et une femme.

Apprécier

Trouve ton enfant formidable à sa façon.

Si ton enfant fait quelque chose
qui te fait plaisir, dis-lui:
«J'aime ce que tu viens de faire.»
«J'aime les couleurs.»
«Ton projet me plaît.»

Si tu ne dis rien à propos
des actions de ton enfant,
il pourra conclure
que tu es indifférent à son égard.

Ne dis pas à ton enfant ce qui
manque dans sa tâche. Dis-lui:
«Eh bien, je te donnerais
85 %!» Il te demandera sans doute
ce que ça lui prendrait pour avoir 100 %.
Ajoute alors: «Tu as oublié certains coins
quand tu as nettoyé.»

Argent

Que ton enfant ait son budget,
proportionnel à son expérience et
à ses connaissances. En gérant son budget,
ton enfant apprendra davantage la valeur
de l'argent qu'en demandant sans cesse:
«Achète-moi ceci. Achète-moi cela!»
Ainsi pas besoin d'argumenter chaque fois
qu'elle veut acheter quelque chose.

Quand ton enfant a l'âge de dépenser
de l'argent il a aussi l'âge d'en gagner.

Pour vivre avec tes enfants, tu as à concilier:
ton budget et leurs besoins, leurs envies du moment
et leur développement à long terme.

Dans ton budget, accorde une somme
pour les besoins et les loisirs de tes enfants,
et une somme pour tes besoins et tes loisirs.

Argumenter

Emploie la parole pour te rapprocher
de tes enfants et non pour argumenter,
faire de la polémique et avoir raison.
Ton enfant fera sans doute de même.

Quand ton enfant te dit:
«Tu ne me lis pas assez souvent des histoires.»
n'argumente pas que tu lui en lis
trois fois par semaine. Reconnais tout
simplement que pour lui, pour le moment,
ce n'est pas assez souvent. Tu n'es pas obligé
de lire plus souvent pour autant.
Reconnais tout simplement que pour lui,
pour le moment, ce n'est pas assez souvent.

Attitude

Il n'est pas nécessaire de trouver parfait tout ce que ton enfant fait. Simplement, adopte une attitude ouverte et constructive. Aie un préjugé favorable envers ton enfant.

Autonome

Pense à développer l'autonomie
de ton enfant à tout âge.

Dans chaque situation, demande-toi:
«Mon enfant peut-elle le faire elle-même?»

Aide ton enfant à résoudre lui-même
ses problèmes, à prendre ses propres décisions.

Plus ton enfant prend lui-même
des décisions réussies, plus il devient
autonome. À tout âge, selon son âge,
ton enfant a des décisions qu'il peut prendre.

Si tu attends qu'il soit grand pour décider,
la marche sera alors tellement haute
qu'il risquera de se casser la gueule!

Quand tu décides pour ton enfant,
tu le protèges, tu assures sa sécurité, sa légalité.

Quand tu décides pour ton enfant
après lui avoir demandé son avis,
tu le gères, tu l'encadres avec soin
dans sa façon d'agir.

Quand tu décides avec ton enfant,
tu t'associes avec lui, tu détermines
avec lui comment vous fonctionnerez ensemble.

Quand ton enfant décide après avoir
reçu ton avis, tu le guides, tu lui fais part
de ton expérience et tu le laisses faire la sienne.

Quand ton enfant décide
de lui-même, tu l'accompagnes, tu lui fais savoir
qu'il peut compter sur toi s'il en a besoin.

Vois les décisions qui concernent
ton enfant comme un escalier sur lequel
ton enfant monte et grandit.

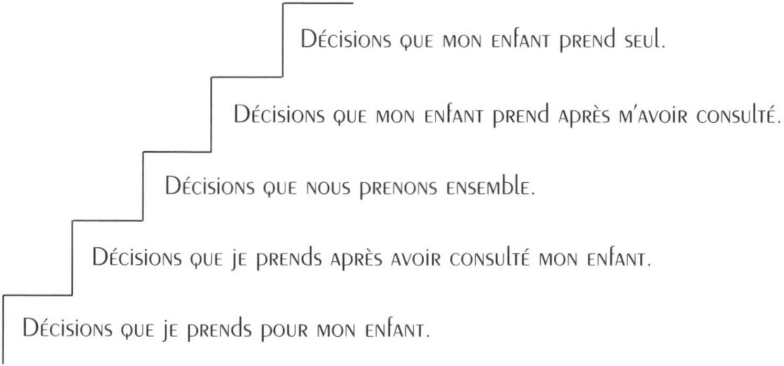

Décisions que mon enfant prend seul.

Décisions que mon enfant prend après m'avoir consulté.

Décisions que nous prenons ensemble.

Décisions que je prends après avoir consulté mon enfant.

Décisions que je prends pour mon enfant.

Tu le fais pour ton enfant.
Tu le fais avec ton enfant.
Ton enfant le fait tout seul ensuite.

Trouve le bon moment pour laisser
ton enfant expérimenter tout seul.
Si tu le laisses faire tout seul trop tard,
il se sentira incompétent. Si tu le laisses
faire tout seul trop tôt, il se sentira incompétent.

Ne fais pas les choses pour ton enfant.
Amène-le à faire des choses pour lui-même.

Apprends à ton enfant à s'organiser,
puis encourage-le à s'organiser,
enfin laisse-le s'organiser.

Donne à ton enfant un espace pour
qu'il cultive son propre jardin, plutôt que
de servir simplement de pion dans ton jardin.

Les premières fois où ton enfant
va à bicyclette, tiens-toi derrière,
assez loin pour qu'il conduise lui-même,
assez près pour intervenir au besoin.

Installe-toi sur la plage, assez proche
pour intervenir s'il arrive quelque chose.
Et laisse-le jouer.

Ses notes, ce sont ses notes. Sa carrière,
c'est sa carrière. Son avenir, c'est son avenir.
Ses amis, ce sont ses amis. (Refrain connu)

Autres parents

Échange franchement avec d'autres parents
sur ton métier de parent.

Respecte les autres parents de ton enfant.
Ne rabaisse pas les autres parents de ton enfant.

Laisse ton enfant gérer ses relations
avec ses autres parents.

Ne fais pas et n'accepte pas
de comparaison avec les autres parents.

Si tu veux avoir un enfant, sois prête
à assumer l'entière responsabilité
de vivre 20 ans avec lui. Si l'autre parent
en assume autant, sois reconnaissante.

Si c'est favorable pour son développement,
confie de bon cœur ton enfant à
d'autres parents: parrain, marraine,
oncle, tante, grand-papa, grand-maman,
des amis, une famille amie, etc., pour une journée,
une fin de semaine, une semaine, un mois, une année.

Besoins

Ton enfant a besoin de beaucoup d'activités, de mouvements, de stimulation, d'action, de multiples centres d'intérêt. S'il s'ennuie, il deviendra un candidat à la délinquance ou à l'apathie.

Pour grandir, ton enfant a besoin d'une forêt,
d'une montagne, d'un champ, d'une caverne,
d'une rivière, d'un lac. Emmène-le à
ces endroits de temps à autre.

Apprends à ton enfant à satisfaire
ses besoins tout en tenant
compte des besoins des autres.

Quelquefois ton enfant ne sait pas trop
ce qu'il veut. Aide-le à découvrir ses besoins.

Apprends à ton enfant à attendre calmement
quand il a besoin de quelque chose.
Ne cours pas comme si un danger le menaçait.
Cependant, réponds-lui aussitôt que tu
t'en occupes, que tu arrives.

Ne pense pas que ton enfant agit d'une
certaine façon pour t'écœurer, ou parce qu'il
est méchant ou pour se venger. Il fait ça
pour satisfaire un besoin, pour prendre sa place,
pour se rassurer ou parce que c'est plus simple,
plus intéressant ou plus amusant comme ça.

Blâmer

Ne blâme pas ton enfant.
Cherche avec lui une meilleure façon d'agir.

Évite que ton enfant ne te serve des excuses:
ne le blâme pas.

Cadeau

Rapporte un petit cadeau
à ton enfant quand tu reviens de voyage,
pour qu'il sache que tu as pensé à lui.

Une grenouille peut représenter un plus
beau cadeau pour ton enfant qu'une fusée électrique.

Calmer

Ne dis pas à ton enfant:
«Calme-toi.» Donne-lui l'occasion
de dire ce qui le préoccupe
pour qu'il puisse redevenir calme.

Capable

Remarque comme ton enfant
est content de te dire à tout âge:
«Je suis capable!» ou «Je peux le faire tout seul!»
Nourris son désir de grandir et de réussir.

Si tu empêches ton enfant de faire une chose
dont il se croit capable sans lui
expliquer pourquoi — une vraie raison
et non un prétexte pour camoufler
ton angoisse —, il pensera
que tu le considères comme un incapable.

Carrière

Que ton enfant
se réalise dans un métier
ou dans un autre que t'importe?

Ton enfant n'a pas à devenir ingénieur, ébéniste ou médecin parce que tu n'as pas pu devenir ingénieur, ébéniste ou médecin. Ton enfant deviendra ingénieur, ébéniste ou médecin si cela correspond à ses talents et à ses aspirations.

Considère la passion de ton enfant comme son métier actuel.

Choix

Grandir, c'est apprendre à choisir.
Ton enfant n'est jamais trop jeune pour choisir.

Ne prive pas ton enfant de faire un choix
qu'il peut assumer. Tu l'empêcherais de grandir.
Ne pousse pas ton enfant à faire un choix
qu'il ne peut pas assumer.
Tu l'effraierais alors de grandir.

Aide ton enfant à se connaître lui-même
pour qu'il puisse faire un véritable choix,
qui tienne compte de sa réalité intérieure
et de la réalité extérieure.

Si tu es insatisfait de ton enfant,
ce n'est pas parce qu'il ne fait pas
ce que tu veux; c'est parce que tu n'es pas
satisfait de ce que tu as fait pour lui.

Fais tout ce que tu peux puis laisse ton enfant devant ses choix. Ensuite tu seras serein, peu importe ce qu'il choisira!

Si tu donnes à ton enfant le choix entre A et B, tu acceptes donc, de bon cœur, qu'il choisisse A ou B. Ne boude pas s'il choisit B. Ne coince pas ton enfant en feignant de lui donner le choix.

Pour qu'il puisse choisir, envisage plusieurs solutions avec ton enfant.

Bon! Le petit vient de renverser son verre!
Tu as le choix. Ou bien c'est grave et
tu lui fais un grand discours dramatique.
Ou bien ce n'est pas grave et tu lui dis:
«Va chercher une éponge.
Nous allons essuyer ça.»

Colère

Quand tu es en colère, cherche le sentiment véritable qui se cache là-dessous, peut-être la peur, l'inquiétude, la déception, ou...

Au fond, ta colère est contre qui?

Il y a une différence entre être frustré
et dire à ton enfant: «J'en ai marre de
trouver mes outils à la traîne!» et faire
une colère et dire à ton enfant: «Tu n'es pas fiable.
Je ne te prêterai plus jamais mes outils.»

Bouder, ce n'est pas mieux que de crier.
Ce sont deux formes de colère,
deux façons de couper le contact.

Si tu es en colère à l'occasion, tu peux mettre
ton enfant en cause! Si tu te mets en colère
souvent, remets-toi en question!

Collaborer

Pour que ton enfant devienne un adulte autonome et non soumis, traite-le en personne autonome et recherche sa collaboration.

Partager les travaux à la maison permet
d'apprendre à collaborer.

Ne donne pas une tâche à ton enfant.
Lance-lui un défi.

Communiquer

Pour apprendre à mieux communiquer
avec ton enfant, demande-lui:
«Qu'est-ce que tu aimes que je te dise?
Qu'est-ce que tu n'aimes pas que je te dise?
Qu'est-ce que tu aimerais que je te dise?
Qu'est-ce que tu aimerais que je ne dise pas?
Qu'est-ce que tu aimerais que je change?»

La communication à sens unique, ce n'est pas
de la communication, c'est de la prédication.

Au besoin, fais un dessin à ton enfant.

Ton enfant s'imprègne lentement
mais sûrement de ton style de communication.

Évite les expressions «toujours»,
«jamais», «tout», «rien»...
Elles brisent le cœur et la raison.

Comparer

Ne compare pas ton enfant
et ne te compare pas. Chaque enfant est différent.
Chaque parent est différent.

Si tu compares désavantageusement ton enfant
aux autres, il souffrira d'être rabaissé.
Si tu le compares avantageusement, il sera mal
à l'aise pour l'autre qui est rabaissé. Apprécie-le
pour ce qu'il est, tout simplement.

Comportement

Si ton enfant fait ça:

1. Qu'est-ce que ça change?
2. Dis-lui ce que ça change.
3. Écoute sa réponse.

Mets l'accent sur la partie valable du comportement de ton enfant et elle grandira.

Réagis autant aux comportements constructifs
de ton enfant qu'à ses comportements dérangeants.

Derrière le comportement de ton enfant,
essaie de découvrir l'intention constructive.

Le comportement de ton enfant
t'incommode peut-être parce que
tu ne vas pas bien aujourd'hui. C'est une
raison suffisante. Mieux vaut alors le lui dire.

Confiance

Aie confiance en ton enfant
et en ce qu'elle peut devenir.

Fais en sorte qu'elle ait confiance en toi,
qu'elle puisse tout te dire.

Tout petit, ton enfant sentait qu'il
pouvait mettre sa tête sur ton épaule
en toute sécurité. Il a encore et toujours
besoin de se sentir aussi en confiance.

Pendant que ton jeune passe une
mauvaise période, sois persuadé que
cette phase le mènera quelque part, débouchera
sur quelque chose, si tu veux qu'il y parvienne.

Le pire, ce serait que ton
enfant ait peur de toi.

Confidence

Garde confidentiel ce que ton enfant te dit en confidence.

Confie des secrets à ton enfant, juste pour lui.

Conseil

Si tes enfants te demandent conseil, c'est un bon signe. S'ils te demandent quoi faire, ce n'est pas très bon signe.

Si tu veux que tes enfants te demandent des conseils pendant des décennies, ne brûle pas tes chances maintenant en leur donnant des conseils inopportuns.

Conseille tes enfants comme le font les conseillers professionnels:

1. Offre-leur de leur faire part de tes connaissances et de ton expérience.

2. S'ils acceptent, donne-leur une information solide et fondée.

3. Laisse-les choisir.

Contrôler

Ton enfant mène sa propre vie.
Plus tu tentes de le contrôler, plus il résiste.
C'est son besoin d'autonomie qui se manifeste ainsi.

C'est étonnant! Il n'y a que
les parents qui trouvent que leur
autorité est «ferme» et «juste»!

Ne sois pas si absolu. Il y a des choses
qui ne se font pas dans certains endroits,
dans certaines occasions, avec certaines personnes.

Ne dis pas à ton enfant d'arrêter
de faire quelque chose. Propose-lui
autre chose qu'il pourrait faire à la place.

Essaie de simplifier la tâche de ton enfant,
plutôt que d'exercer plus de pression sur lui.

Contrôler, c'est épuisant.
Ne cherche pas plus loin l'origine de ta fatigue.

Corps

Être bien dans sa peau, c'est d'abord
être bien dans son corps. Pour que ton enfant
se sente à l'aise, donne-lui l'occasion
d'apprendre à courir, grimper, danser,
chanter, sauter, nager, patiner, rouler
à bicyclette, skier, jongler, rouler
sur la planche, plonger…

Couple

Ne laisse pas mourir ton couple
pour faire vivre ton enfant.

Garde de l'espace et du temps pour toi,
de l'espace et du temps pour ton couple,
de l'espace et du temps pour ta famille.

Culpabiliser

Ne culpabilise pas ton enfant.
La culpabilité n'amène pas un changement constructif. Elle amène ton enfant à se braquer, à agir par peur de l'autorité ou à abandonner.

Ne te culpabilise pas.
Ce qui n'est pas bon pour ton enfant, n'est pas bon pour toi non plus!

Danger

Mets les objets dangereux
ou précieux hors de portée de ton enfant.
Tout le monde sera beaucoup plus détendu.

Aie une réaction et un ton de voix
proportionnels à la gravité de la situation.

Élever le ton n'est pas la seule manière de souligner l'importance d'une situation. Quelquefois, baisser le ton peut être tout aussi efficace.

Expliquer, démontrer, montrer une image pour indiquer que c'est dangereux.

Avant d'intervenir, demande-toi: «Y a-t-il vraiment un problème? Et si je laisse mon enfant régler ça lui-même, qu'arrivera-t-il?»

S'il n'y a pas de danger,
laisse ton enfant faire face
aux conséquences de ses actes.

T'inquiéter pour ton enfant ne lui donne rien,
mais ça te donne bonne conscience.
Être vigilant, c'est autre chose: c'est se
tenir prêt à intervenir pour
prévenir ou éloigner le danger.

Ne dramatise pas.
Si tu transformes une bagatelle en montagne,
ton enfant ne t'écoutera plus.

Si tu cries trop souvent au loup,
ton enfant ne t'écoutera plus.

Débrouiller

Apprends tôt à ton enfant
à se débrouiller: répondre au téléphone,
prendre les transports en commun, aller au marché...

En arrivant dans un endroit public,
conviens avec ton enfant d'un endroit
où vous retrouver, au cas où vous
vous perdriez de vue.

Décider

Fais avec tes enfants ce que
les bons patrons font de nos jours:
demander l'opinion de leur personnel
avant de prendre des décisions.

Décide avec ton enfant.
Deux têtes valent mieux qu'une,
peu importe l'âge des têtes!

Examine plusieurs solutions
avec ton enfant avant de prendre une décision.

Décide avec ton enfant.
Tu n'auras plus besoin de lui imposer
ta décision ni de le surveiller
ensuite pour qu'il l'applique.

Outille ton enfant
pour qu'il puisse prendre
des décisions éclairées: informe-le,
explique-lui, décris-lui, démontre-lui, instruis-le...

Quand tu as une décision à prendre
concernant ton enfant, demande-toi:
«Est-ce qu'il sera heureux maintenant?
Est-ce qu'il sera heureux plus tard?»

Démocratie

La démocratie, ça s'apprend
d'abord dans la famille.

Ton enfant acquiert un atout précieux
pour sa vie sociale en vivant dans une famille
où chacun est considéré avec respect
et traité équitablement.

Un enfant roi ne peut ni comprendre
ni participer à la démocratie: il ne connaît
que la monarchie lui, le roi, et les parents, ses sujets.

Utilise les tâches à la maison comme
un apprentissage de la démocratie.
Que chacun fasse sa part selon ses capacités.

Si tu as un chouchou parmi tes enfants,
c'est humiliant pour les autres qui se sentent traités
injustement. Si tu as une préférée parmi tes enfants,
c'est le jeu normal des affinités. Et tu peux rester
équitable avec tous les membres de la famille.

Le chouchou vit dans une prison.
Il doit se conformer aux désirs du parent
qui le chouchoute, et non devenir lui-même.

N'élève pas un enfant en conformiste.
La démocratie n'a rien à gagner de telles personnes.

Dénoncer

N'oblige pas ton enfant
à se montrer déloyal en dénonçant
son frère, sa sœur, son ami.

Déranger

Ne donne pas à ton enfant
l'impression qu'il te dérange.
Planifie ton horaire et le sien pour
que le temps passé ensemble soit un plaisir.

Si ton enfant te dérange, dis-le-lui!

Emmène tes enfants partout,
à moins que ça ne dérange vraiment.

Développement

Intéresse-toi au développement
de ton enfant. Laisse-le
s'occuper de sa performance.

Contribue au développement physique,
émotionnel, intellectuel, social, spirituel,
psychologique et matériel de ton enfant.

Ton enfant de 8 ans peut, par exemple
sur un certain point, avoir un développement
de 6 ans, sur un autre point, avoir un
développement de 8 ans et sur un autre point,
avoir un développement de 10 ans. Alors
reconnais que, sur un point, il a 6 ans,
sur un autre point, il a 8 ans et sur un
autre point, il a 10 ans. Et fais comme
tout bon prof, prends ton enfant là
où il est et aide-le à progresser.

Quand il a 3 ans, ton enfant a besoin
de se sentir compétent, pour ses 3 ans.
Quand il a 7 ans, ton enfant a besoin
de se sentir compétent pour ses 7 ans.
Quand il a 11 ans, ton enfant a besoin
de se sentir compétent pour ses 11 ans.

Stimule le développement de ton enfant.
Ton enfant apprend à parler parce que tu lui parles.
Ton enfant apprend à marcher parce que tu lui
tends les bras. Ton enfant apprend à réfléchir
parce que tu discutes avec lui.

Dieu

Si ton enfant te voit comme un dieu, il aura un choc plus tard. S'il te voit comme une personne, la vie continuera!

Différences

Tes enfants ne sont pas de la même génération que toi. Ils vivent dans un monde différent du tien. Ils font face à des questions différentes, à un avenir différent du tien.

Comme ton enfant perçoit la situation différemment, il pourrait apporter une solution différente de la tienne.

Des études démontrent que les enfants
adoptent une très grande partie des valeurs
de leurs parents, même si les parents ne
s'en rendent pas compte parce qu'ils
se braquent sur les différences.

Puisque chaque famille comprend des types
d'intelligence, de compétence, de personnalité
différents — les visuels et les auditifs, les
rationnels et les pragmatiques... — la moitié
des membres de ta famille sont donc différents de toi!

Apprends à connaître les différents
types psychologiques, pour mieux te comprendre,
pour mieux comprendre tes enfants.

Comprends qu'il aime ses vieilles pantoufles
trouées même si elles sont moins belles... à ton goût.

Apprends à ton enfant à voir les personnes
au-delà des différences d'âge, de sexe, de race,
de couleur, de métier, de richesse...

Apprends de tes enfants comment être à l'aise
avec des gens de nationalité et de culture différentes.

Discipline

Oublie la discipline!
Recherche la collaboration!

Divorce

Si les enfants pouvaient divorcer de leurs parents, tes enfants seraient-ils encore là?

Donner

Que tout ce que tu donnes
à tes enfants soit gratuit, sans facture,
sans attente, sans retour.

Si tu donnes quelque chose à ton enfant,
un cadeau, de l'argent de poche..., lâche prise
sur ce don, laisse ton enfant en faire ce qu'il veut.

Dormir

Prépare ton enfant à bien dormir
et aide-le à s'endormir dans de saines dispositions.

Aide ton enfant à réviser sa journée,
à remarquer ce dont il est fier, à décider
ce qu'il aimerait changer, à voir ce qu'il a appris;
et à tourner la page pour mieux s'endormir,
et commencer sa journée le lendemain
avec un esprit tout neuf.

Apprends à tes enfants des moyens
pour mieux dormir, par exemple:
se raconter à soi-même une histoire
pour s'endormir, prononcer un mot
magique pour se détendre, mettre
une question sous son oreiller
pour trouver la réponse le lendemain
matin, confier sa peine à l'oiseau de nuit
pour qu'il l'apporte à son grand-père.

Ton enfant dormira mieux
dans un pyjama sur lequel
sont imprimés des oursons.

Si ton enfant ne s'endort pas,
il est peut-être préoccupé.

Échanger

Échange avec tes enfants sur des thèmes personnels tels que: «Je me sens bien quand...» «Je me sens mal quand...» «Je me sens bien et mal à la fois quand...» «Un endroit où j'aimerais aller...» «J'ai rêvé à...» «J'ai peur de quelque chose et je crois que ma peur est réaliste.»

«J'ai peur de quelque chose même
si je sais que ma peur est irréaliste.»
«J'ai fait plaisir à quelqu'un.» «Quelqu'un
m'a fait plaisir.» «Je me suis fait un ami.»
«J'ai perdu un ami.» «Une fois où je me suis
mis en colère.» «J'ai pleuré quand...»
«Je suis fier de...» «J'ai réussi tout seul à...»
«J'ai résolu un problème.» «J'ai un problème
que je n'arrive pas à résoudre.»
«J'ai une décision difficile à prendre.»

Participe à cet échange tout en l'animant.
Ne monopolise pas la conversation.
Anime la conversation pour que
chacun puisse s'exprimer.

Donne à chaque enfant
l'occasion d'animer cet échange.

Invite ton enfant à compléter la phrase:
«Je suis chanceux de...»
«Je suis reconnaissant de...»

Tout le monde n'a pas la même
définition de «propreté», «responsabilité»,
«faire sa part», «coopérer».
Raison de plus pour s'en parler!

Écouter

Écoute ton enfant quand il
te raconte quelque chose, quand il
te parle de ce qu'il aimerait, quand il
te confie ses préoccupations, quand il
a eu une belle surprise...

Accorde toute ton attention à ton enfant.
Quand il te parle, écoute-le et regarde-le.
Ne regarde pas la télévision en même temps.
Sois avec lui.

Écoute ton enfant.
Tu l'aides davantage à se développer
en l'incitant à parler qu'en lui parlant.

Laisse ton enfant donner son opinion,
son impression, son point de vue.
Tu découvriras ce qui se passe
dans sa petite tête et dans son cœur.

Écoute l'avis de ton enfant,
au même titre qu'un autre
membre de la famille, à part entière.

Écoute plus.
Ton enfant te parlera plus.

Écoute ton enfant
jusqu'au bout.

Laisse parler ton enfant.
Laisse-le s'exprimer. Tu apprendras
ce qu'il pense, ce qu'il ressent.

Laisse ton enfant vider son sac chaque jour...
sinon il refoulera, il étouffera.

Si tu veux connaître ton enfant,
observe-le, écoute-le. Ne le juge pas.

Lorsque ton enfant se fâche,
aide-le à expliquer ce qui le frustre.
Plus il parle, moins il se fâchera.

Si ton enfant a mal au ventre, mal à la tête,
s'il a des problèmes respiratoires, des allergies,
invite-le à parler de ce qui le préoccupe.

Élever

Tu veux élever ton enfant?
D'abord, ne le rabaisse pas.

Émission

Regarde son émission préférée avec ton enfant. Écoute ses commentaires. Discute avec lui: «Tel personnage a-t-il bien agi?» Qu'aurait-il dû faire? Que va-t-il arriver ensuite? Et pourquoi?» Cette discussion forme son jugement.

Émotion

L'enfant est un être d'émotions.
Pour communiquer avec lui,
prends la voie du cœur.

N'argumente pas avec ton enfant
sur des émotions, les tiennes ou les siennes.
Accepte-les et tiens-en compte.

Enfant

Reste un enfant.
Tu auras du bon temps
avec tes enfants: se rouler
par terre, jouer au cheval,
se cacher dans une penderie
ou un coffre...

Engagement

Prends deux engagements envers ton enfant:

1. Être là.
2. Rechercher avec lui ce que vous pouvez faire de mieux.

Enseigner

Sois un bon prof:

A. Prends ton enfant où il est.
B. Aide-le à progresser.

Si tu veux enseigner quelque chose à ton enfant, sois un bon prof:

1. Donne-lui l'exemple.
2. Montre-lui comment faire.
3. Explique-lui pourquoi il vaut mieux faire ainsi.
4. Aide-le.
5. Laisse-le faire.
6. Encourage-le.
7. Souligne ses réussites.
8. Indique-lui comment s'améliorer.
9. Ne perds ni espoir ni patience.

Tu enseignes mieux à ton enfant par l'action que par la parole. Il apprend les choses importantes de la vie telles que: comment faire face à la frustration, comment régler une mésentente, comment être honnête, comment considérer les autres, comment collaborer avec les autres... en te voyant agir.

Avant de montrer à ton enfant
comment mieux jouer au ballon, assure-le
que sa performance actuelle ne t'agace pas.

Laisse à ton enfant le plaisir
de t'apprendre des choses.

Ensemble

Fais des choses avec ton enfant. Ça fait toute la différence de les faire ensemble!

Se rouler sur la pelouse, construire un fort de neige, aller au cirque, regarder des ouvriers construire une maison, observer les canards

sur le lac, regarder une chenille,
une fourmi, prendre le petit déjeuner à deux,
faire un voyage, se promener en forêt,
en ville, au zoo, visiter la ferme, la pépinière,
l'érablière, la fraisière, le verger...
selon les saisons, réparer la bicyclette,
faire une cabane, recoller la statuette,
cueillir les pommes, faire voler un cerf-volant,
regarder des photos, rencontrer des gens
d'autres peuples... ensemble.

Invente un rituel avec tes enfants.
Fais-en un moment privilégié.

Trouve une forêt où tu peux aller
avec tes enfants. De temps à autre,
au moins chaque saison, dis-leur:
«Allons dans notre forêt!»

Examine la situation avec lui. Même si tu ne
sais pas quoi faire encore, étudier la situation
ensemble fait déjà toute une différence.

Regarde le monde avec les yeux
de ton enfant. Tu découvriras un autre univers.

Prends ta dose de joie d'être parent.
Donne-toi des bons moments avec tes enfants.

Entraîneur

Deviens l'entraîneur de ton enfant. Trouve ses talents et aide-le à les développer.

Inspire-toi des quatre secrets des entraîneurs:

1. Choisis une activité dans laquelle ton athlète a du talent.
2. Montre-lui que tu as confiance en son potentiel.
3. Donne-lui un bon programme d'entraînement.
4. Encourage-le.

Comme le coach de tennis, entraîne
ton athlète de ton mieux et laisse-le
se gérer seul pendant le match.

Comme l'entraîneur de gymnastique
ou d'équitation, si ton enfant tombe,
incite-le à remonter aussitôt sur l'appareil
ou le cheval pour continuer et réussir.

Erreur

Quand ton enfant commet une erreur,
donne-lui le goût de s'améliorer et
non de s'apitoyer sur son erreur. Ainsi,
il deviendra fier de lui et il aura
appris une leçon de vie.

Il y a pire que de commettre
une erreur: ne pas la reconnaître
et ne pas la corriger.

Aide-le à reconnaître ses erreurs.
D'abord, reconnais les tiennes.

Étranger

Dis bonjour aux étrangers.
Engage la conversation avec des étrangers
au marché, au guichet, dans l'autobus...

Apprends à ton enfant à ne pas craindre
les étrangers, à faire confiance avec vigilance,
à avoir la main tendue et l'œil ouvert.

Études

Laisse à ton enfant la responsabilité
de ses études et de ses travaux scolaires.
Intéresse-toi à son métier d'élève et offre-lui ton aide.

N'attends pas que ton enfant aille mal
à l'école pour rencontrer son prof.

Quand ton enfant t'apporte son bulletin,
aide-le à s'évaluer lui-même.
«Tu as eu telle note.
Qu'en dis-tu? Es-tu content, fier de toi?
Quelle note veux-tu obtenir la prochaine fois?
Comment feras-tu ça? Veux-tu que je t'aide?

Laisse à ton enfant la prérogative
de s'évaluer lui-même.

Il est plus important que ton enfant
soit satisfait de lui-même que
de satisfaire tes exigences.

Même si ses notes à l'école sont bonnes,
ça ne veut pas dire que ton enfant va bien.
Même si ses notes à l'école sont faibles,
ça ne veut pas dire qu'il va mal.
Demande-toi s'il est heureux de vivre.

Examens

Avant son examen,
fais parler ton enfant.

Au retour de son examen,
laisse-le parler.

Excuser

Reconnais que tu t'es trompé.
Dis à ton enfant: «Excuse-moi!»
et repars à neuf.

Exemple

Ne cherche pas à faire la leçon. Sois un exemple de ce que tu veux pour tes enfants.

Les enfants apprennent par imitation. Ton enfant possède un livre pratique sur l'éducation. Il y inscrit tout ce que tu lui fais, tout ce que tu lui dis, tout ce qu'il te voit faire et dire aux autres.

De toute façon, tu es constamment l'exemple de qui tu es... non seulement pour tes enfants, mais pour tous les enfants qui te voient.

Attention! Ton enfant a dans sa tête un caméscope qui enregistre tout ce que tu dis et ce que tu fais.

Fesser

Ne lève pas la main sur ton enfant.
Il aura peur de toi ensuite.

Fêter

Fête avec ton enfant la première
fois qu'il roule à bicyclette, qu'il prend
le métro tout seul, qu'il va en skis,
qu'il part camper avec des jeunes,
qu'il chante en public...

Les enfants ont besoin de fêter
plus souvent que les adultes.

Fier

Donne à ton enfant
des occasions d'être fier de lui.

Il est plus important que ton enfant
soit fier de lui-même que tu sois fier de lui.

Dire aux autres que tu es fier de ton enfant,
c'est bien. Le lui dire, c'est encore mieux!

Si ton enfant te raconte qu'il a
réussi à sauter deux mètres de haut,
ne t'attache pas à l'exactitude
de la mesure mais à sa fierté d'avoir
sauté haut. Réponds-lui:
«Tu étais content d'avoir sauté si haut!»

Ne vole pas la vedette à ton enfant.
Laisse-le annoncer ses bonnes nouvelles.
Laisse-lui l'occasion d'être fier. Ne dis pas,
par exemple, aux visiteurs:
«Savez-vous que notre petit Jérôme
a gagné le trophée du meilleur
gymnaste de sa catégorie? N'est-ce pas, Jérôme?»
Ce à quoi il ne lui reste qu'à dire: «Oui.»

Apprends à ton enfant à gagner le match
fièrement et à le perdre dignement.

Flair

Encourage ton enfant à se fier à son flair. Ne l'oblige pas à aller à l'encontre de son intuition. Ne l'oblige pas à aller voir le monsieur en qui il n'a pas confiance.

Grandir

Aimer tes enfants,
c'est les aider à grandir.

Aider un enfant à grandir,
c'est le plus beau métier du monde.

Le parent ce n'est pas celui qui engendre la vie,
c'est celui qui fait grandir.

Grandir, c'est devenir autonome
et savoir collaborer.

Si tu aimes les enfants quand ils
sont petits mais pas quand ils sont grands,
tes enfants ne voudront sans doute pas grandir.

Veux-tu que ton enfant grandisse
ou préfères-tu continuer à le dorloter?

Plus ton enfant grandit, plus tu le laisses
prendre de plus grands risques.

Enlève-toi de sur le dos de ton enfant,
il grandira sans doute plus vite.

Tes enfants ne sont pas là pour te
tenir compagnie, ni maintenant
ni quand tu seras vieux, mais pour voler
de leurs propres ailes.

Aide ton enfant à grandir.
Et laisse-le partir.

Réjouis-toi quand ton enfant
marche tout seul. Réjouis-toi quand
ton enfant part seul à l'école. Réjouis-toi
quand ton enfant organise sa journée
sans toi. Réjouis-toi quand ton enfant
préfère aller avec ses copains plutôt
qu'avec ses parents. Réjouis-toi quand
ton enfant part vivre sa vie avec
la personne qu'il a choisie. Il grandit.

Ne regarde pas les anciennes
photos de tes enfants avec nostalgie.
Garde sur ton bureau ou sur ton
mur leurs photos les plus récentes.

Le parent oiseau fait tout pour que
son enfant vole de ses propres ailes, y compris
le pousser hors du nid et voler à ses côtés au besoin.

La mère ourse chasse l'ourson quand il est
devenu assez grand pour se nourrir lui-même.
Même s'il a peur, elle le chasse, convaincue
qu'il est capable maintenant.

Guide

Sois un guide pour ton enfant. Vérifie ce qu'elle sait déjà. Complète et corrige ce qu'elle sait. Dis-lui ce que tu crois être la meilleure voie. Lorsqu'il y a danger, avance le premier, et indique où passer. Explique ce qu'elle doit savoir pour faire son chemin elle-même. Laisse-la faire son chemin. Aide-la si elle rencontre un obstacle intérieur ou extérieur.

Histoire

Raconte ou lis des histoires à ton enfant et demande-lui ce qu'il aime dans cette histoire. Demande-lui: «Quel personnage préfères-tu? Quel personnage aurais-tu aimé être? Les personnages ont-ils bien agi? Qui est sympathique, qui est antipathique? Qu'auraient-ils dû faire?»

Raconte à tes enfants des histoires
où il y a un bon et un méchant et où le
bon surmonte les obstacles et finalement
triomphe. Ça les rassure.

Raconte des histoires à tes enfants où
des choses qu'on croyait impossibles
sont devenues possibles.

Intéresse-toi d'abord à l'histoire que
ton enfant a écrite ou qu'il te raconte,
et plus tard, à l'orthographe.

Honte

Si tu trouves que ton enfant te fait honte, tu places ta responsabilité au mauvais endroit. Tu te rends responsable de lui. Rends-toi responsable de toi-même: il se rendra responsable de lui-même.

Ne réprimande pas ton enfant devant d'autres personnes pour sauver ta réputation devant ces gens.

Humilier

N'humilie jamais ton enfant.
Se faire rabaisser, humilier fait
plus mal que de se faire gifler.

À court terme, humilier ton enfant
peut l'amener à bouger. À long terme,
il en gardera contre toi une rancœur
d'avoir été rabaissé.

Imaginaire

Laisse ton enfant vivre un peu dans son imaginaire. Ne t'inquiète que s'il y passe tout son temps.

Si ton enfant te raconte qu'il a vu un gros animal dangereux de deux mètres de haut, ne t'attache pas à l'exactitude ou non de la mesure, mais à ce qu'il a peur de te dire. Montre-lui que tu comprends sa peur en lui répondant: «Tu étais effrayé de voir cet énorme animal.»

Impression

La pire impression qu'un enfant
peut éprouver est de croire que ses parents
voudraient qu'il soit quelqu'un d'autre.

Ne donne jamais à ton enfant
l'impression qu'il est de trop.

Si ton enfant va en colonie
de vacances, ne lui donne pas
l'impression que tu veux t'en débarrasser.
Dis-lui qu'il va te manquer et que,
quand il reviendra, tu seras content
de voir qu'il a grandi.

Inférieur

Personne n'aime être traité en inférieur, peu importe son âge! Personne n'aime se faire dire quoi faire, peu importe son âge! Personne n'aime se faire dire qu'il a tort, peu importe son âge! Personne n'aime se faire dire qu'il est mal intentionné, peu importe son âge! Personne n'aime se faire humilier, peu importe son âge!

Personne n'aime se faire ridiculiser, peu importe son âge! Personne n'aime se faire flatter, peu importe son âge! Personne n'aime recevoir un conseil qu'il n'a pas demandé, peu importe son âge! Personne n'aime se faire faire la morale, peu importe son âge! Personne ne croit qu'on l'aime si on le traite d'idiot, peu importe son âge! Chacun a besoin de préserver son amour-propre, peu importe son âge! Ce n'est pas une question d'âge. C'est une question de dignité humaine. Ça commence dès la naissance.

Inquiétude

Si ton enfant s'est fait mal,
distingue sa douleur de ton inquiétude.
Règle ton inquiétude pour mieux
t'occuper de sa douleur.

Si tu t'inquiètes sans cesse pour
ton enfant, il n'apprendra pas
à être lui-même vigilant.

Interdit

Interdire ne rend pas service.

Si tu interdis quelque chose
à ton enfant et qu'aussitôt que tu as
le dos tourné ou qu'il est seul en ville,
il s'empresse d'adopter le comportement interdit,
ne t'en prends pas à lui, mais à ton interdit.

Intéresser, s'

Ne résous pas les problèmes de ton enfant. Intéresse-toi à elle, elle résoudra ses problèmes. Ne t'occupe pas des affaires de ton enfant. Occupe-toi de ton enfant, elle s'occupera de ses affaires.

Ton enfant n'a pas besoin que
tu lui pousses dans le dos.
Il a cependant besoin que tu t'intéresses
à lui, que tu regardes ce qu'il te montre,
que tu écoutes son récit...

Initie ton enfant à ce qui t'intéresse,
bien sûr. Intéresse-toi à ce qui l'intéresse.

Intéresse-toi aux collections de ton enfant
et à ce qui l'intéresse là-dedans.

Jeu

Pour apprendre quelque chose à ton enfant, fais-en un jeu. Un jeu, ça comporte un défi. Un jeu, ce n'est pas dramatique si on se trompe. Par exemple, si tu souhaites qu'il apprenne à bien parler, fais-en un jeu.

Fais des pauses dans le chemin sans fin de l'apprentissage.

Mets une dose de jeu, de fantaisie,
de surprise dans ta vie avec ton enfant.

Amène ton enfant voir des choses rares:
un lever de soleil, une aurore boréale, un éléphant,
une caverne, un ascenseur transparent.

Donne à ton enfant des objets fascinants:
un aimant, une loupe, un microscope,
des jumelles, une boussole...

S'il faut rester toujours propre,
tu ne pourras jamais jouer.

Pour ton enfant, attraper une grenouille est plus important que de garder ses chaussures propres.

La garde-robe d'un enfant doit contenir des chaussures et des vêtements qu'il peut mettre pour aller dans la boue.

Pour agrémenter une tâche, donne-lui un rythme, invente-lui des personnages.

Inverse les rôles. Une journée,
tu fais l'enfant et ton enfant fait le parent!
Tu apprendras tellement de choses!
Tu découvriras comment ton enfant te voit,
comment tu pourrais être.

Fais un pique-nique. C'est mieux qu'un repas.

Laisse ton enfant jouer au méchant.
Il a besoin de personnifier le méchant
pour savoir qu'il peut l'être et
qu'il choisit de ne pas l'être.

Juron

Si ton enfant te dit quelque chose d'important en y ajoutant un ou deux jurons, concentre-toi sur l'essentiel de son message: mets de côté les deux mots déplacés.

Si tu interdis les jurons, ça devient un fruit défendu!

Liberté

Apprends à ton enfant
que sa liberté finit où la liberté
des autres commence en faisant valoir
tes propres libertés.

À son anniversaire, permets
à ton enfant de faire tout ce qu'il veut,
sauf ce qui est dangereux.

Maison

Fais en sorte que tes enfants considèrent qu'ils sont dans leur maison autant que toi.

Installe des crochets à la hauteur de ton enfant.

Aussitôt que ton enfant en a besoin, donne-lui la clé de la maison.

Amène des gens intéressants
et pittoresques à la maison. Laisse à tes
enfants libre accès à ces personnages.

Les enfants à la maison
déplacent bien des objets.
Mais n'endure pas de vivre
dans un dépotoir.

Manger

Ne cherche pas à faire manger des légumes à tes enfants. Cherche comment leur faire aimer les légumes. Commence par les légumes qu'ils aiment.

Exiger que ton enfant mange un plat qu'elle déteste ne la nourrira sans doute pas.

Laisse ton enfant ne pas manger
si elle n'a pas faim. Elle n'a pas à manger
pour te faire plaisir.

Mais si elle a faim, laisse-la
manger avec ses doigts!

Manières, bonnes

Plutôt que d'apprendre les bonnes manières à ton enfant, apprends-lui à se préoccuper du bien-être des autres. Pour ce faire, préoccupe-toi de son bien-être; demande-lui: «Est-ce que ça te convient?»

Marchander

Ne recours pas au marchandage avec ton enfant. Tu le réduirais à l'état de marchandise.

Menace

Ne menace pas ton enfant.
Tu le provoques à se défendre contre toi.

Mentir

Ne force pas ton enfant à mentir en le menaçant ou en le punissant.

Si ton enfant te ment, demande-toi comment tu l'y as incité.

La vérité fait moins mal à ton
enfant que le mensonge,
l'humiliation et l'insécurité
de voir que tu lui mens ou
que tu lui caches quelque chose.

Message

Le message que ton enfant reçoit,
c'est ce que tu crois au fond de toi-même
et non ce que tu dis. Si tu détestes le ménage,
quand tu lui dis de le faire, ou bien il ne le
fait pas, parce que c'est détestable, ou bien
il le fait à contrecœur, puisque c'est détestable.

Morale

Tu ne fais pas de ton enfant un être moral en lui imposant tel ou tel comportement. Aide-le à développer son sens moral en se demandant pourquoi agir de telle ou telle façon.

Faire la morale consiste bien souvent à prononcer un jugement sur une situation qu'on ne connaît pas.

Motiver

Aide ton enfant à savoir ce qu'il veut.
Pour ce faire, cesse de vouloir à sa place.

Veux-tu donner à ton enfant le goût
de la musique ou lui faire apprendre le piano?

Moule

N'essaie pas de faire entrer ton enfant
dans un moule. Il ne peut ni bouger
ni respirer dans un moule.

Ne t'invente pas un enfant qui te ressemble.
Tu t'ennuierais face à un double de toi.

Ne donne pas ton nom à ton enfant.
Donne-lui un nom qui lui est propre,
qui le rend unique.

Si ton enfant marche dans tes traces,
ça lui donnera une démarche étrange.

Narguer

Ne te réjouis pas d'un échec de ton enfant.
Évite de lui dire: «Je te l'avais bien dit!»
Inutile de tourner le fer dans la plaie.

Quand tu dis à ton enfant
«J'espère que ça te servira de leçon.»,
il comprend: «Mon parent est
content que ça m'arrive.»

Négocier

Que veux-tu?
Avoir raison ou t'entendre avec ton enfant?

Apprends à ton enfant à négocier
en négociant avec lui. Ça lui servira
toute sa vie et dans tous les domaines.

Tu es facilement tiraillé entre
t'imposer et t'en laisser imposer.
Ça vient de ton éducation en noir et blanc.
Il existe une troisième voie, en couleurs: négocier.

Plus tu développes ta compétence
à négocier avec ton enfant, moins
tu es tenté d'imposer ou de céder.

Si tu es braqué sur ta manière de faire,
ton enfant se braquera sur la sienne.

Si chacun est braqué sur sa manière,
ça vous empêchera de trouver
une meilleure solution.

Sans qu'il y ait mauvaise volonté,
ton enfant peut s'être engagé à faire
plus qu'il ne peut faire.

Garde-toi le droit de changer d'idée.
Laisse à ton enfant le même droit.

Quand tu abordes une question
avec ton enfant, mène la discussion
jusqu'à la décision satisfaisante
pour toi et pour lui. Aborder
un sujet sans le régler, c'est harceler.

Non

Quand ton enfant apprend
à te dire «non», réjouis-toi. Il devient
mieux outillé pour refuser l'inacceptable.
C'est très utile dans la vie.

Obéir

Ne recherche pas l'obéissance
de tes enfants: réserve ça pour ton chien.
Recherche leur collaboration.

Opinion

Ne donne pas tes opinions à ton enfant.
Aide-le à former les siennes.

Comme tu es plus grand, plus fort,
comme tu connais plus de choses que
ton enfant, il hésite à donner son opinion.
Alors, montre-lui que son opinion est valable
et bienvenue en lui demandant:
«Qu'est-ce que tu en penses?»

Si tu respectes ses goûts, ses opinions,
ton enfant apprend à respecter les goûts
et les opinions des autres.

L'opinion que ton enfant a de lui-même
est plus importante que l'opinion
que les autres ont de lui.

L'opinion que les autres ont de toi
est-elle plus importante que l'opinion
que ton enfant a de toi?

Opposer, s'

Apprends à ton enfant à s'affirmer et non à s'opposer. Apprends à ton enfant à vivre pour quelque chose et non contre quelque chose ou quelqu'un.

Si tu trouves que ton enfant est têtu, demande-toi à qui il s'oppose tant.

Ton enfant sait trop ce que tu
ne veux pas. Il ne sait pas assez ce
que tu veux. Oublie ce que tu ne veux pas.
Sache ce que tu veux.

N'éduque pas tes enfants pour faire
le contraire de ce que tes parents ont fait.
Ne fais pas payer à la nouvelle génération
ce que tu crois que la précédente te doit.
Choisis comment toi tu veux vivre avec tes enfants.

N'apprends pas à ton enfant
à tirer sa satisfaction de provoquer
les autres, mais à se réaliser,
à s'épanouir lui-même.

Outils

Procure à ton enfant,
le plus tôt possible,
de vrais outils,
de vrais instruments
de musique...

Pardonner

Suggère à ton enfant de pardonner, mais ne l'y force pas. S'il pardonne forcé, il refoule de la rancœur. Laisse-lui le temps de digérer sa frustration. Après, tu pourras lui demander: «Maintenant, comment vois-tu ça?»

Parent, être

Pour être parent,
tu n'as qu'à être là.

Donne à ton enfant le meilleur de toi-même.
Il deviendra le meilleur de lui-même.

Développe ta compétence de parent.

Tu te demandes si tu es un bon parent:
«Est-ce que mon enfant se confie à moi?
Mon enfant vient-il me le dire quand il a
fait quelque chose de travers?»

Collectionne les mots de ton enfant.
Tu te laisseras ainsi attendrir.

Fais comme les professeurs à l'université,
qui, maintenant, se font évaluer par leurs
étudiants. C'est un bon moyen de s'améliorer.
Demande à ton enfant ce qu'il aime et qu'il
n'aime pas que tu fasses. C'est lui l'expert-enfant.

Place un magnétophone ou un caméscope dans le salon ou dans la cuisine. Écoute ensuite qui dit quoi, regarde qui fait quoi. Tu pourrais être surpris de t'entendre et de te voir.

Considère-toi comme le parent de tous les enfants que tu côtoies. Tu seras riche de cœur.

Occupe-toi des autres enfants comme s'ils étaient les tiens. Tu accroîtras la confiance de tes enfants.

Si tu vois un enfant se faire secouer,
frapper au supermarché, interviens, si tu crois
avoir des chances d'améliorer la situation.
Commence par dire au parent: «Il y a des jours
où ce n'est pas facile, n'est-ce pas?» Et, à l'enfant:
«Il y a quelque chose qui ne va pas?» Puis,
essaie de trouver une solution qui règle le problème
et qui détend l'atmosphère en même temps...
et où le parent ne perd pas la face.

Si tu es parent, les enfants
viendront vers toi.

Si un enfant te demande d'être
son parent, d'une façon ou d'une autre,
réponds à cet appel. Ça te fera grandir le cœur.

Ce que tu as reçu de tes parents
passe-le à tes enfants.

La chose la plus précieuse que tu
donnes à tes enfants, c'est la relation
que tu as avec eux.

Parler

Parle intelligemment à ton enfant et il comprendra.

Ne parle pas de ton enfant à d'autres quand elle n'est pas là. Parle à ton enfant quand elle est là.

Dis ce que tu sais. Exprime ce que tu veux.

Ne parle pas tout seul.

1. Vérifie si tu as bien compris ce que ton enfant t'a dit.
2. Vérifie ce qu'elle a compris de ce que tu as dit.

Sois bref! Pour ton enfant,
un discours c'est trop long!

Avant de dire quelque chose
à ton enfant, demande-toi: «Est-ce que cela
nous rapprochera ou nous éloignera?»

Ton enfant réagit davantage au ton sur lequel tu lui parles qu'aux mots que tu lui dis. (Les enfants ne sont pas les seuls à réagir ainsi!)

Parle à ton enfant dans un langage adapté à sa réalité.

Ne manifeste pas à ton enfant
tes frustrations de façon indirecte
en faisant des allusions, en te moquant,
en changeant de sujet. Parle-lui
directement et franchement.

Quand tu ne souris pas et
que tu ne parles pas, ton enfant peut
croire que tu es fâché contre lui.
Si ce n'est pas le cas, dis-le-lui.
Si c'est le cas, explique-le-lui. Si tu es fatigué,
dis-le-lui. Il ne peut pas le deviner.

Quand ton enfant sent que des événements se préparent et que tu ne lui en parles pas, il peut s'inquiéter.

Quelquefois, dis-le simplement parce que ça fait du bien de le dire.

Quelquefois, ne dis rien.

Tout ce qu'un parent peut dire inutilement!!!

Partager

Parler de partage à un enfant
qui a peur de se faire voler son jouet,
c'est prêcher dans le désert!

Si tu obliges ton enfant à partager
son jouet, son goûter, son espace,
il n'apprend pas à partager; il apprend
à se soumettre quand tu l'y obliges.

Apprends à ton enfant à
se sentir suffisamment comblé
pour se sentir généreux.

Si tu désires qu'il partage
son goûter, donne-lui-en beaucoup!

Passion

Comme tu as la passion de l'automobile, des livres, de l'ordinateur ou des meubles, ton enfant a la passion des dinosaures, des bandes dessinées ou des matchs entre copains.

Perfection

Ne cherche pas à être parfait,
tu te donnerais un contrat
impossible à réaliser. Ne cherche pas
à te montrer parfait aux yeux de tes enfants,
tu ferais de la fausse représentation.

Ne te force pas pour être meilleur que tu es.
Sois aussi bon que tu peux l'être.

Ne cherche pas à faire de ton
enfant un être parfait. Amène-la
à développer son potentiel.

Montre à ton enfant que tu la trouves
correcte, pas parfaite, mais correcte.

Rassure ton enfant. Fais-lui comprendre
qu'elle n'a pas besoin d'être championne
pour que tu l'apprécies. Elle n'a qu'à
faire de son mieux.

Permission

Ton enfant n'a pas de permission à te demander, toi non plus. Mais il est compréhensible que des gens qui vivent ensemble vérifient l'un avec l'autre si ça leur convient ou les incommode qu'ils fassent ceci ou cela.

Peur

Enseigne à ton enfant
la prudence, pas la peur,
la vigilance, pas la méfiance,
l'attention, pas l'obsession.

Ton enfant croit ce que tu lui dis, mais il croit surtout ce que tu ressens et ce que tu fais. Si tu as peur du tonnerre, il a peur du tonnerre. Et même si tu lui dis que le tonnerre n'est pas dangereux, s'il sent que tu as peur, il croit qu'il y a de quoi avoir peur. Et il a peur du tonnerre.

Règle tes peurs. Ne les passe pas aux générations montantes.

Quand ton enfant a peur, sois là,
tout simplement. Montre-lui que
tu comprends ce qu'il éprouve.

Tu pourras mieux le rassurer si,
au préalable, tu as laissé ton enfant
exprimer sa douleur et ses inquiétudes.

Fais de ton enfant un être de projets
et non un être de peur.

Donne à ton enfant l'occasion
d'apprendre un art martial de son choix,
pour qu'il n'ait pas peur et qu'il
n'ait pas besoin d'attaquer.

Pitié

Ne prends pas ton enfant en pitié.
La pitié est un poison qui affaiblit autant
celui qui l'éprouve que celui qui en est l'objet.

Place

Dans la famille ou dans
un groupe d'adultes, fais-lui une place
en lui demandant: «Qu'en penses-tu?»

Ne donne pas à tes enfants la
première place dans ta vie, c'est un
lourd fardeau pour eux.

Plaire

Ton enfant n'est pas né pour plaire aux autres, mais pour se réaliser, pour accomplir son destin tout en collaborant avec les autres.

Pleurer

Ton enfant pleure parce qu'il a mal...
ou parce que tu lui as montré que
c'est la façon d'obtenir quelque chose.

N'enseigne pas à ton enfant à se plaindre,
à se lamenter. Quand il a mal, évite de dramatiser,
évite de lui dire qu'il n'a pas mal, écoute-le te dire
qu'il a mal. Quand il a tout dit, dis-lui:
«Et maintenant, que veux-tu faire?»

Prévenir

Dis à ton enfant ce que tu aimerais avant que ça ne se produise. Après, il est trop tard, et tu ne lui laisses d'autre possibilité que de se sentir mal.

Problème

Ne te préoccupe pas du problème
de ton enfant. Préoccupe-toi de ton enfant
pour qu'il puisse s'occuper de son problème.

Il est plus important que tu sois convaincu
que ton enfant est capable de résoudre
son problème que de lui trouver une solution.

N'apprends pas à ton enfant à emmagasiner des solutions, mais à résoudre des problèmes.

Demande à ton enfant ses suggestions de solutions. Tu découvriras des solutions nouvelles au même problème.

Tu pourrais prévenir bien des problèmes avec tes enfants en mettant un aide-mémoire, un mot affiché à un endroit stratégique, sur le frigo, sur la table, près de la porte.

Si tu veux absolument éviter à tes enfants tout problème, toute blessure, toute éraflure, tu devras les garder dans la ouate.

Quand tu as un problème, rassure ton enfant que ça ne dépend pas de lui.

Promesse

Tiens tes promesses.

Aide ton enfant
à tenir ses promesses.

Protéger

Protège tes enfants du danger physique, des dangers sociaux, des chimères et des cauchemars de l'enfance, des humiliations et du ridicule reçus d'autres jeunes ou adultes.

Quand ton enfant est malade ou blessé, rassure-le, transmets-lui le message qu'il va guérir, que ça va passer.

Promets à ton enfant que tu seras
toujours là pour le protéger,
mais pas pour le couver.

Ne couve pas ton enfant.
Tu pourrais l'asphyxier.

Montre à ton enfant que la force,
ça sert à protéger les autres.

Donne à ton enfant un animal, une plante,
pour qu'il apprenne à préserver la vie.

Installe une cabane d'oiseaux transparente
à la fenêtre pour observer l'oiseau faire
son nid, couver ses œufs, pour voir
les petits venir au monde...

Apprends à ton enfant que le monde
lui appartient. Il aura le goût d'en prendre soin.

Punir

Ne punis pas tes enfants.
Ne leur enseigne pas à se venger.

Un jour, ton enfant sera grand:
les punitions n'auront plus d'effet sur lui.
Aussi bien commencer tout de suite
à employer de meilleurs procédés.

Si ta tâche consiste à distribuer
punitions et récompenses, tu seras
bientôt occupé à temps complet.

Si tu appliques récompenses et punitions,
si tu contrôles par le commandement,
tu trouveras que le rôle de parent
en est un de solitaire.

Si tu te résignes à punir, faute de mieux,
tu ne trouveras pas ce qui est mieux.

Querelle

Quand deux enfants se querellent et:

1. Que tu ne sais pas quand ni comment l'histoire a évolué.
2. Aide-les à résoudre eux-mêmes le conflit. Tu leur rendras un bien meilleur service que si tu leur imposais ton jugement.

3. Ne demande pas aux enfants: «Qui a commencé?» Demande plutôt: «Comment pouvez-vous régler ça?»

Questionner

Ne le questionne pas, écoute-le.
Tu en apprendras bien davantage.

Quand tu questionnes,
tu joues le rôle de policier,
d'examinateur, d'avocat.

Ne demande pas à ton enfant
ce qu'il a fait, où il est allé, avec qui
il était chaque fois qu'il rentre. Laisse-lui
la chance de te raconter ses aventures...
s'il le veut bien.

Questions

Accorde de l'importance
aux questions que ton enfant te pose.
Il cherche à savoir comment ça marche, la vie.

Tu n'as pas besoin de savoir
toutes les réponses. Tu as cependant
besoin d'être disposé à les trouver.

Répondre aux questions de ton enfant, c'est bien. L'amener à trouver sa propre réponse, c'est mieux.

Pour se développer, ton enfant a davantage besoin de trouver des réponses aux questions qu'il se pose que de savoir les réponses aux questions que les adultes lui posent.

Laisse ton jeune trouver ses réponses aux questions de sens.

Si ton enfant te demande:
«D'où viennent les bébés?» ou une autre question de ce genre, réponds-lui en trois étapes.

1. Assure-toi de comprendre le sens de sa question.

2. Demande-lui ce qu'il croit être la réponse.

3. Donne-lui une réponse. Ceci, en fonction de sa véritable interrogation du moment.

Écoute l'émission 275-Allô pour
découvrir ce qui préoccupe les enfants
et pour apprendre comment
répondre à leurs questions.

Laisse ton enfant répondre lui-même
quand quelqu'un lui pose une question.

Raconter

Raconte à tes enfants des expériences que tu as vécues quand tu avais leur âge.

N'utilise pas tes souvenirs pour faire la leçon à tes enfants, mais simplement pour te faire connaître.

Raconte à tes enfants tes échecs autant que tes réussites.

Amène tes enfants à ton travail,
à ton loisir, à ton bénévolat...

Raconte à tes enfants des choses
que ton père, ta mère, tes grands-pères,
tes grands-mères faisaient. Ça leur crée des liens,
sinon de la compagnie.

Ranger

Sur un ton humoristique,
approprié à son âge, rappelle à ton enfant
qu'il a oublié de ranger ses vêtements,
tes outils, d'éteindre la chaîne stéréo...

Si tu souhaites
que ton enfant apprenne à ranger,
cesse de ranger derrière lui.

Un enfant range sa chambre si on
lui a montré comment faire, si on l'a
accompagné pour le faire et si on lui
fournit de la place de rangement.
Évidemment, il la range à son goût!

Les premières fois, il ne suffit pas de le dire,
il faut aussi en faire la démonstration.

Récompense

N'achète pas l'affection de tes enfants avec des cadeaux, des récompenses. Tu les empêcherais de te rendre service par bonne volonté.

Reconnaissance

Reconnais-le comme ton enfant,
peu importe ce qu'il fait, sois avec lui.

Reconnais ton enfant. Remarque ce que
ton enfant fait et dis ou montre
que tu l'as remarqué. «Tiens, je vois
que tu as passé l'aspirateur.» «Tiens, je vois
que tes notes en anglais ont augmenté.» «Tiens,
je vois que tu t'es levé de bonne heure ce matin...»

Évidemment, tu iras voir
le spectacle du groupe ou de la
classe de ton enfant. Et tu regarderas
ça avec des yeux, des critères de son âge.

Donne à ton enfant
le bénéfice du doute.

Réfléchir

Pour aider tes enfants à apprendre à réfléchir, laisse-les parler beaucoup, pose-leur peu de questions.

Dès que ton enfant est en âge de demander «pourquoi», amène-le à réfléchir lui-même à ces questions. Peu de choses mobilisent autant son attention!

Ne pose pas une question à ton enfant.
Pose-lui une devinette.

Demande à ton enfant, selon son âge:
«Pourquoi l'enfant est-il si gros?»
«Pourquoi la madame crie si fort de l'autre côté de la rue?» «Pourquoi une maison coûte plus cher qu'une bicyclette?» «Pourquoi le cheval ne parle pas?» «Pourquoi le chanteur a-t-il dit ça?»

Invente avec tes enfants des situations amusantes pour faire travailler ses méninges, comme: «Qu'ont en commun la vache, le camion et la banane?» «Que ferait-on si... on n'avait pas d'électricité? les skis avaient des roulettes? les pommes poussaient pendant l'hiver? chaque famille parlait une langue différente? il n'y avait plus d'argent au guichet de la banque? le soleil se levait le soir et se couchait le matin? l'autobus marchait tout seul avec un robot?»

Pose à ton enfant des questions
qui l'amènent à réfléchir, à raisonner,
à développer son jugement.

Donne à ton enfant le temps de réfléchir
à ce que tu lui as dit. Laisse-lui le temps de changer.

Mieux que de lui dire quoi faire, mieux que
de ne rien lui dire, échange avec ton enfant;
ça lui permet de parler, de réfléchir,
de comparer des points de vue.

Refuge

Aménage la maison pour que
chaque membre de la famille ait un refuge
où il peut se retirer pour retrouver son équilibre.

Règles

Établis avec les enfants des règles claires, équitables et efficaces.

De temps à autre, oublie les règles mais n'oublie pas les personnes.

Répéter

Si tu en as assez de répéter
sans cesse, de faire la même chose,
ne rien faire serait sans doute un progrès.
Ça te permettrait de prendre du recul et
de te préparer à agir autrement.

Si tu lui répètes la même chose pour la énième fois, ton enfant ne t'écoutera pas. Il soupirera ou te dira, d'un air exaspéré ou distrait: «Je le sais. Je le sais.»

Ne répète pas: change de stratégie, change de message. Adapte ton nouveau message à la nouvelle situation.

Plutôt que de répéter 22 fois «Ne touche pas à cela!», ce serait plus simple d'enlever cet objet de sa portée.

Si tu t'entends répéter ce
que ton père ou ta mère disait,
révise ton message et décide
de le garder ou non.

Réponses

Apprends à ton enfant comment trouver sa réponse à l'intérieur, à savoir clairement s'il a faim ou non, s'il a sommeil ou non, s'il a le goût de jouer avec son copain ou non, s'il est prêt à descendre la piste intermédiaire en skis ou non, s'il est en forme pour jouer ou non, etc.

Reproches

Si tu fais à ton enfant des reproches
fréquents, même s'ils sont «justifiés»,
s'il reçoit plus de mauvaises nouvelles
que de bonnes nouvelles à son sujet,
il pensera qu'il est un vaurien.

Respect

Veux-tu te faire respecter
ou te faire craindre?

Pour obtenir le respect de ton enfant,
considère-le comme une personne valable.

Gagne le respect de ton enfant.
Respecte-toi toi-même. Démontre-lui du respect.

Dès sa naissance, considère
ton enfant comme une personne à
part entière, avec ses besoins, ses aspirations,
ses ressources et sa voie.

Reconnais que ton enfant est une personne.
Respecte sa vie privée, ses objets personnels,
ses secrets, son journal, son identité, son espace…

Responsable

La responsabilité est une chose motivante: ça n'est pas lourd. La responsabilité du parent, c'est de donner le meilleur de lui-même à ses enfants.

Tu prends la responsabilité de satisfaire les besoins de ton enfant jusqu'à ce qu'il puisse les satisfaire lui-même. Prolonger cette période serait l'étouffer. Hâter cette période serait le mettre en danger.

Traite ton enfant comme une personne responsable. Il le deviendra.

Toutes les responsabilités que ton enfant n'assume pas sont sans doute celles dont tu t'es emparées en lui donnant des ordres, en lui faisant des remontrances, en le harcelant de conseils non désirés, en le menaçant de prendre les grands moyens, en le prenant en tutelle, en décidant à sa place, en le critiquant...

Réunion

Fais comme les patrons modernes:
tiens une réunion de famille chaque semaine
pour échanger sur la semaine terminée,
planifier la semaine qui vient, répartir les tâches,
bref, décider qui fait quoi et quand.

Donne à chaque enfant l'occasion d'animer
la réunion familiale. C'est une excellente façon
d'apprendre à travailler en équipe.

Réussir

Sois à l'affût des réussites et des capacités de ton enfant plus que de ses erreurs, de ses faiblesses.

Amène ton enfant à réussir des choses qui lui semblent peu réalisables et qu'il sera fier d'avoir réussies: plonger du tremplin, descendre la grande glissade, traverser le tunnel dans le noir, grimper en haut d'un arbre, demander son repas en anglais au restaurant...

Rêve

Tes enfants réalisent tes rêves inconscients que tu leur as transmis silencieusement.

Santé

Assure la santé de ton enfant.
Ce bien précieux lui servira toute la vie.

Nourris ton enfant, soigne ton enfant
pour qu'il soit en grande forme.

Sentiment

Apprends à ton enfant à soigner
ses rêves, à choisir ses actions, à observer
ses pensées, à exprimer ses sentiments ...
et à voir clair dans tout ça!

«D'accord, tu aimerais faire disparaître ton petit frère. Tu trouves que je n'ai pas beaucoup de temps pour jouer avec toi depuis que j'ai un bébé: mais tu ne vas pas le jeter, ni lui faire mal. Nous allons trouver du temps pour faire des choses ensemble.»

Apprends tôt à ton enfant qu'il a du pouvoir sur son humeur.

Sexe

Pour éduquer tes enfants sur un sujet important de la vie, tels que le sexe, l'argent, la drogue, la vie, l'amour, le vieillissement, la mort... il suffit d'en parler et de les laisser en parler librement quand l'occasion se présente. Tout simplement!

Solutions

Ne passe pas aux solutions
avant d'avoir bien compris la situation
de ton enfant et que ton enfant
ait compris la tienne.

Tout ce que tu peux demander
à ton enfant, c'est de l'essayer.

Conviens avec ton enfant de qui
fait quoi et quand. Laisser ça flou
constitue une source fréquente de malentendus.

Aucune solution n'est parfaite et éternelle.
Une solution peut marcher un certain
temps et avoir besoin d'être changée,
modifiée après un certain temps.

Surnom

Attention aux surnoms,
aux sobriquets. Rien n'est plus beau
que son véritable nom. Assure-toi que
le surnom que tu donnes à ton enfant
lui fait plaisir, le valorise.

Taquiner

Taquine ton enfant. Sois sûr
que c'est une taquinerie et non une moquerie.
Si c'est une taquinerie, il rit avec toi.
Si c'est une moquerie, tu ris tout seul... de lui.

Temps

Quand l'enfant quitte la maison,
les parents disent: «Déjà! Le temps passe vite!»

Profite de chaque moment, de chaque
saison, de chaque année, car elle
ne reviendra jamais. Ton enfant n'a trois ans,
huit ans, onze ans qu'une seule fois.

Offre à ton enfant un cadeau d'une valeur inestimable: ton temps.

Prends le temps de regarder le dernier crapaud qu'il a attrapé, la dernière pirouette qu'il a apprise.

Indique plusieurs minutes d'avance à ton enfant qu'on va bientôt manger, dormir, partir... pour qu'il ait le temps de finir ce qu'il fait.

Plus ton enfant est jeune, plus il voit
les choses à court terme. Il doit réussir
rapidement pour que ça vaille la peine pour lui.

Il apprend progressivement à planifier
dans le temps. Tu peux l'aider à prévoir
un peu plus qu'il n'est habitué de le faire.

Pour ton enfant, le mois prochain,
l'année prochaine, quand il sera grand!,
c'est loin, très loin!

Apprends à ton enfant à mesurer le temps:
attendre, lire ou jouer cinq minutes,
un quart d'heure, une demi-heure, une heure.

N'accours pas dans la minute à tout
ce que ton enfant te demande. Le jour
où il aura à attendre trois minutes,
il paniquera. Cependant, réponds tout
de suite que tu t'en occupes, que tu viens.

Concentre-toi sur ce que
ton enfant vit maintenant.

Toucher

Le besoin de toucher ne disparaît pas avec l'âge. Il se transforme.

Vérité

Si tu veux que ton enfant
te dise la vérité, dis-lui la vérité.

Sois franc, direct, sincère avec tes enfants.
Ça ne peut pas être une tactique,
mais il n'y a pas de meilleure stratégie.

Les enfants savent tout, de toute façon.
Alors, mieux vaut leur dire!

Vie

Peu importe son âge,
ton enfant mène sa propre vie.

Vis ta vie. Laisse ton enfant vivre la sienne.

Ton enfant fera son chemin dans la vie
s'il est autonome et s'il sait collaborer.

Laisse ton enfant faire face aux défis et aux obstacles de sa vie. Tu ne peux pas lui épargner toutes les peines et les déceptions, les frustrations de la vie. Ton enfant doit apprendre à les gérer lui-même. Cependant, sois présent quand il y fait face. C'est ce que tu peux faire de mieux.

Pense à ce que tu ressentirais si tu n'avais pas ton enfant dans ta vie. Et dis-le-lui!

Tu trouveras des réponses aux questions
les plus importantes de ta vie en te demandant:
«Et si mes enfants étaient ici? Qu'est-ce qui
est le mieux pour mes enfants et pour leurs enfants?
Quel monde aimerais-je laisser à mes enfants?»
Rappelle-toi la consigne donnée dans l'avion:
«En cas de besoin, mettez d'abord votre
propre masque d'oxygène. Ensuite, mettez
le masque à votre enfant.»

Index

Imprimé au Canada